什麼意思？

　　SDGs之所以會被制定出來，目的是為了讓全世界所有人同心協力一起解決存在於這個世界上的各式各樣問題，像是維護自然環境、消滅歧視跟暴力……。

　　但也因為這個世界太大了，所以小朋友們很容易覺得這些問題很困難，產生「小孩子幫不上什麼忙」的想法，不過，想改變這個世界，其實還是有許多我們可以參與的行動。

　　首先就先從家中、社區和學校，我們每天的生活環境當中來找出「提示」，進一步發現「我們能參與的行動」吧。

　　接著，你可以試著針對其中任何一項付諸「行動」，積極的去嘗試自己能辦得到的事吧！

生活中隨手就能達成的目標！

SDGs
就在你身邊

1
家庭實踐篇

監修 關 正雄

編撰 WILL兒童智育研究所

翻譯 李佳霖

審訂 何昕家 臺中科技大學通識教育中心副教授

察覺身邊的提示

SDGs 是為了解決全球性的問題所立定的目標，目的是要讓所有人在未來能擁有比現在更好的生活。

而要解決 SDGs 目標中的問題，第一步就是從察覺身邊的提示開始做起喔！

咦，花枯掉了？

感覺不對勁的地方

澆的水可能不夠！

這就是提示

去思考平常習以為常的事物是不是「有哪裡不對勁」，或是去關注異於平常的事物。

去思考不對勁現象背後的原因，是連結到 SDGs 的關鍵，如此一來，大家就會去思考「得想辦法加以解決」。

本書重點

書中會給出各式各樣的提示，並介紹相關的行動範例。

以下這個例子是我們在日常生活情境中所可能發現到的提示。

用餐時的
重點

發現植物的新芽

只要看這裡就會比較容易發現

提示藏在哪些地方喔！

付諸行動 🌏 ！

藉由提示去找到自己所辦得到的事，並且付諸行動。

幫花澆水！

這就是行動

每個人所採取的行動都能為 SDGs 盡到一份心力，協助問題的解決喔！

你可以試著藉由這一套書來練習如何發現身邊的提示以及如何付諸行動！

以下這個例子是藉由提示所激發出的行動。

用餐時的 **提示**

15 陸域生命

多親近植物！

這裡會列出跟這項行動相關的SDGs目標。

每個人能察覺到的提示跟辦得到的事各不相同。

就讓我們從自己辦得到的事情開始下手吧！

生活中隨手就能達成的目標！

SDGs 就在你身邊

① 家庭實踐篇

不管是在家裡、社區或是學校，每天的日常生活中，我們都能為 SDGs 盡一份心力。

在第一冊當中將會介紹吃飯時間、全家人齊聚一堂時、洗澡時等，各種待在家中就能實踐的 SDGs。

讓我們試著跟家人一起共同參與吧！

▼ 問題可獲得解決的 SDGs 目標

專欄

全世界有多少「窮人」？

▼ 問題可獲得解決的 SDGs 目標

專欄

寵物店的寵物幸福嗎？

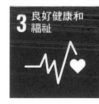 

在用餐的時候

用餐時的
提示

只有媽媽一個人
在廚房收拾。

用餐時的
提示

料理過程中製造
出大量的廚餘。

6

我們每天吃飯時其實有許多可以實踐 SDGs 的行為喔。看看圖中給的提示，一起想想可以採取什麼行動。你我的一個小行動，將會是改變世界的第一步！

用餐時的**提示**
餐後吃剩留下的飯菜太多。

用餐時的**提示**
餐盤上只留下番茄沒吃完。

用餐時的**提示**
餐盤上沾滿了吃剩的醬汁。

| 用餐時的 **行動** |
| 5 性別平等 |

不要把「媽媽做家事」視為理所當然！

　　家中的成員每天都要吃飯，但總是由同一個人，例如媽媽獨自承擔煮飯和收拾工作，似乎有點不公平吧？試著全家一起討論如何分工，這樣媽媽也能喘口氣。只要大家同心協力，如此一來，就有可能達成 SDGs 的目標 5（性別平等）！

從做得到的事情開始做起！
煮菜太難的話，就幫忙端菜或是洗碗吧！

讓媽媽喘口氣休息一下，
會更有精力呢！

試著列出家事清單！

除了飯前的準備和飯後的收拾以外，可是還有很多的家事喔。可將家人平常所做的家事寫下來，並列成清單，看看哪個家人所負擔的家事最多，然後大家一起重新分工吧！

蘋果

將蘋果切成楔形會製造出果核與果皮廚餘。

蔬菜和水果的種子或是外皮等無法食用的部分，會被當作廚餘丟掉，但這些部分真的是不能吃的嗎？

例如，切蘋果時可以試試將蘋果切成薄片的「星星切法」，這樣切蘋果皮既容易入口，也不用特別去核，幾乎零廚餘。只要多用點心，就有助實踐 SDGs 的目標12（負責任的消費與生產）。

改用星星切法來切蘋果，只會產生少量的廚餘。

吃不下…

我要開動了！

剩下太多飯菜是非常浪費的一件事，同時也會讓生產食材的人和做菜的人所付出的努力白費。為了減少剩食，用餐前保持飢餓就是很重要的一件事。三餐盡量定時定量，並且不要吃太多零食！珍惜食物有助於實踐 SDGs 中的目標2（消除飢餓）。

用餐時的
行動

14 水下生命

洗碗盤前先將
油汙擦拭乾淨！

不要用水
沖掉油汙

　如果餐盤上殘留大量的醬汁或油汙，記得在沖洗之前先擦拭一下。如果直接將醬汁或是油沖掉，不但會堵塞管線，還可能汙染水資源。此外，在沖洗時會需要大量的水和洗碗精，也是一項浪費水的行為。

　先將醬汁跟油汙擦乾淨，就能實踐SDGs的 目標14（水下生命） ！

我要全部吃光光！

用餐時的
行動

3 良好健康
和福祉

均衡飲食，
提升活力！

　只吃自己喜歡的食物，營養可能會失衡，而營養一旦失衡，身體就容易生病唷！

　人體是藉由飲食來獲取營養，如果想要有健康的身體，首先就要先戒掉偏食的習慣，盡可能努力達成SDGs的 目標3（良好健康和福祉） 吧。

1 消除貧窮

全世界有多少「窮人」？

每10人當中就有1個人處於「絕對貧窮」

「絕對貧窮」所指的是居無定所且三餐不繼的貧困生活。全世界每十人當中就有一人，也就是全球大約有七億人口過著這樣的生活。

首先我們可以做的事，就是了解並正視有人正因「絕對貧窮」而受苦的事實，並進一步想想此刻的自己可以做些什麼。

生活貧困的話……

容易生病
生活貧困就無法填飽肚子，一旦營養不良，身體就容易出狀況。

無法上學
生活貧困的話，孩子可能也要被迫去賺錢，因此無法接受應有的教育。

找不到工作
因為小時候沒有接受教育，所以長大後也很難找到薪水較高的工作。

我們還能做更多！

● 臺灣也有被認定為「貧窮」的孩子喔！試著去查查看占比有多少，並和家人一起討論可以如何幫助他們！

和家人齊聚一堂時

齊聚時的
提示

獨自一個人在客廳看電視。

齊聚時的
提示

天冷時只穿短袖,覺得太冷就把空調調到30℃。

每天聚在一起的時候，其實有許多可以實踐SDGs的行為喔！一起來看看圖中給的提示，想一想可以採取什麼行動。你我的一個小行動，將會是改變世界的第一步！

齊聚時的 **提示**
沒有人在房間裡面，燈卻亮著。

齊聚時的 **提示**
和大家聚在一起，卻只自顧自的滑手機。

齊聚時的
行動

17 夥伴關係

創造與家人歡聚
的珍貴時光！

全家歡聚時，如果各做各的事似乎太寂寞了啊！SDGs 的 目標 17（夥伴關係）中包含人與人，以及國與國之間建立夥伴關係，一起同心協力解決問題的意思。

對大部分的人們而言，家人就是最親近的夥伴，因此平時就能和家人維繫良好關係來強化夥伴意識，更能在過程中逐漸學會和其他人維繫正向的關係，進而促成 目標 17 的實踐。

耶！

你好嗎？

家人即使沒有住一起，照樣能取得聯繫

就算家人沒有同住在一起，還是有辦法維繫良好關係喔。例如，只要將平板電腦或是個人電腦連接上網路，就能通話、聊天，維繫關係的方法非常多，務必試試看！

齊聚時的
行動

13 氣候行動

依照天氣變化做
適合的穿搭

天氣一冷，就把空調溫度調高，只會讓用電量飆升。

人體所感受到的冷與熱會因為穿著而產生明顯變化。天冷時，就應該多穿幾件衣服，盡量別讓肌膚外露，還能減少使用空調時的用電量，拉近我們與 SDGs 的 目標 13（氣候行動）的距離。

齊聚時的
行動

7 可負擔的
潔淨能源

隨手關閉沒有使
用的電源開關！

現代社會所使用的電力能源，絕大多數是由煤炭、石油、天然氣等化石燃料物質所製成。在燃燒這些化石燃料時，會產生導致地球暖化的溫室氣體。因此即使隨手關閉電源看起來是件小事，卻有助於達成 SDGs 的 目標 7（可負擔的潔淨能源）喔。

15

規定手機和平板電腦的使用時間！

每天長時間看電子產品的螢幕，會對大腦帶來不良的影響唷！試著和家人一起討論出一個使用時間的規定，其他時間，除了要查詢書本上沒有的資料，就盡量將這些產品的電源關閉吧！這樣不但能維護腦部健康，還能實踐 SDGs 的 目標 3（ 良好健康和福祉）。

關機

制定規則

為了預防過度使用手機，可以全家一起討論出像「一天使用 30 分鐘」這樣的規定。另外，有部分應用程式的收費並不便宜，所以在下載前務必要先跟家人商量。

OK！

可以下載嗎？

下載

15 陸域生命

寵物店的寵物幸福嗎？

禁止買賣寵物？

世界上有許多的國家，已經開始禁止在寵物店買賣貓狗，因為有太多沒有好好照顧動物的店家和買了沒多久就拋棄寵物的人，因而造成許多不幸的動物。

究竟該怎麼做才能讓人與動物都能幸福的生活呢？

全球動物相關產業的趨勢

海豚秀遭到禁止
法國開始禁止海豚表演，與圈養新鯨豚。因為當地人認為逼迫海豚學習特技會讓牠們承受過大的壓力。

許多人對鬥牛持反對意見
認為西班牙的鬥牛過於殘忍，應該禁止！但也有些人認為應該保留這項具有代表性的傳統文化。

帶著寵物搭電車和公車
在英國，帶著寵物搭電車或公車很平常，在與寵物共同生活這件事情上，領先世界不少！

法國　　　　西班牙

英國

我們還能做更多！
● 試著去思考寵物的幸福是什麼。
● 試著跟家人討論看看寵物店存在哪些問題。

全家一起做家事時

全家人一起在家裡做家事時，其實有許多可以實踐 SDGs 的行為呢！看看圖中提供的提示，一起想一想可以採取什麼行動。你我的一個小行動，將會是改變世界的第一步！

家事時間的
提示
發現植物長出了新芽。

家事時間的
提示
泡沫太多導致沖洗時很費力。

家事時間的
提示
吸塵器用起來不上手。

家事時間的
行動
14 水下生命

利用隨手可得的
物品來打掃！

打掃時一定非用清潔劑嗎？其實生活周遭有許多能取代清潔劑的物品，例如報紙或柑橘皮，這些也是廢物再利用，所以相當方便！

沖洗清潔劑後排放的廢水，是海洋汙染的一大主因，因此打掃時不用清潔劑，有助於達成 SDGs 的 目標 14（ 水下生命） 喔！

報紙

拿沾溼的報紙來擦窗戶，上面的油墨可以讓玻璃變亮。

橘子皮

拿橘子皮來擦拭水槽，可以讓水槽變得亮晶晶。*1

*1 橘子皮中含有檸檬烯跟檸檬酸可以分解汙垢。

蛋殼

將搗碎的蛋殼和熱水一起放入水壺中並搖晃，就能清除壺裡的汙垢。*2

*2 蛋殼除了具有磨光效果外，它的主要成分「碳酸鈣」還會轉化成「氧化鈣」，可以清除掉茶垢。

洗米水

拿洗米水來擦拭木頭地板能讓地板變亮。*3

*3 米糠中含有油脂，能讓地板顯得光亮。

家事時間的
行動
12 負責任的消費與生產
∞

找出可以「再利用」的垃圾！

將用過的東西都丟進垃圾桶很浪費，因為當中有許多是能再回收利用。例如，報紙能化身為再生紙，寶特瓶則可以變成衣服。下次丟垃圾前，別忘了先確認能不能回收，並確實做好分類、回收，這樣就能讓我們更靠近目標12（負責任的消費與生產）。

要做好分類喔！

家事時間的
行動
15 陸域生命
🌲

和自然植物多多親近吧！

目前地球因為樹木遭到大量砍伐，導致森林的面積不斷縮小。森林一旦消失，動物也會失去住所，導致大自然失衡。因此，讓我們從善待身邊的植物開始做起，藉由親自照顧植物來體會到植物也是具有生命的「生物」，如此一來必能進一步連結到 SDGs 的目標15（陸域生命）。

家事時間的
行動

6 潔淨的水與
衛生

清洗碗盤時，
使用適量的洗
碗精！

只要**1**滴
就**OK**

使用大量的洗碗精清洗碗盤，不但會產生很多難以沖洗掉的泡沫，還會用掉很多水。盡量遵守洗碗精包裝上的建議用量，只需要滴少許洗碗精在海綿上，就能清潔乾淨了。減少洗碗精用量的同時還能減少用水量，這將有助於達成 SDGs 中的目標 6（潔淨的水與衛生）！

窗戶和地板的清潔機器人

家事時間的
行動

9 產業創新與
基礎設施

把自己的創意
想法記錄下來
吧！

你的心裡是不是偶爾會有「想要更好用的產品」，或是「如果有某種產品就會更方便」的想法呢？你的創意發想，或許就是解決 SDGs 目標 9（產業創新與基礎設施）問題的線索。把你的想法寫下來，並且跟家人分享，如果其他人願意給予建議，說不定就誕生了超棒的點子。

為何明明是小孩卻要工作賺錢呢？

為求生存而工作的童工

在全世界 5 ～ 17 歲的孩子們當中，有高達 1 億 6 千萬的人必須工作。明明是孩子，卻因為貧窮而非工作不可，因為他們如果不工作賺錢的話，就會無法生存；不過卻有不少孩子因被迫工作而導致身心出現問題。

難道讓孩子從小開始工作，就代表「有工作成就」，或是童工能夠「促進國家經濟成長」嗎？這值得思考。

勞動所帶來的負面影響

使用危險設備
有些孩子為了要修理汽車，必須使用高溫的設備，可能導致視力減退。

長時間背負重物
還在發育的身體，長時間背負重物，可能導致背部與腳部扭曲變形。

在危險地方工作
孩子因為體型小，被迫在礦坑等狹窄的洞穴中工作，甚至因此喪命。

我們還能做更多！

● 有些非洲農園雖然想要雇用成人，卻因為無法支付足夠的薪水，因而改雇用薪資比較低的孩子。試著跟家人一起想想為什麼會產生這樣的現象。

參考資料來源：國際勞工組織

盥洗和清潔身體時

洗澡時的
提示

洗澡水太燙，才剛泡一下就馬上出來。

洗澡時的
提示

放任蓮蓬頭的水一直流個不停！

洗髮精
潤髮乳

我們每天洗澡時，其實就有許多可以實踐 SDGs 的行為喔。 一起來看看圖中給的提示，想一想可以採取怎麼樣的行動。 你我的一個小行動，將會是改變世界的第一步！

洗澡時的 **提示**

洗髮精用完後就馬上當垃圾丟掉！

洗澡時的 **提示**

吹整頭髮的時間長達15分鐘。

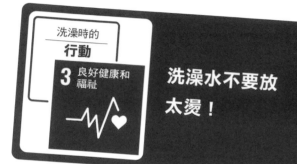

洗澡水不要放太燙！

才泡一下澡就出來實在太可惜啦！ 因為洗澡對我們的身心健康， 助益很大呢！ 溫度適中的的洗澡水， 不但能拉長泡澡舒緩的時間， 還能讓身體由內而外的暖和起來。 試著透過每天的洗澡時間來實踐 SDGs 的目標 3 （ 良好健康和福祉）， 現在就開始行動吧！

疲勞獲得消除， 身心感到煥然一新！

洗完澡後， 暖和的身體會慢慢降溫， 此時會產生睡意， 變得比較好入睡。

再次利用洗澡水！

將用過的洗澡水全部放掉有點浪費， 我們可以將它倒入澆水壺中， 隔天用來幫植物澆水， 或者是拿來當作洗鞋子前用來浸泡的水使用。

洗澡時的
行動
6 潔淨水與衛生

隨手關閉蓮蓬頭開關

你知道嗎？ 每當淋浴的時候， 如果讓蓮蓬頭的水持續流 1 分鐘， 就會消耗掉12公升（ 約 6 瓶 5 公升寶特瓶）的水。 因此我們應該在使用熱水這件事上多用點心， 隨手關閉蓮蓬頭的開關， 多用一點心就能讓我們更加靠近 SDGs 的目標 6 （ 潔淨的水與衛生）。

1分鐘 **12公升**

養成在搓洗頭髮或用肥皂洗身體時關閉蓮蓬頭開關的習慣。

洗頭時的訣竅

洗頭時想要不浪費熱水， 可以在抹上洗髮精以前， 利用裝滿熱水的臉盆來打溼頭髮， 只要一個臉盆的熱水量就綽綽有餘。 另外，用蓮蓬頭沖頭之前， 先用手把泡沫都撥掉後再沖水， 透過這些舉動就能大幅減少熱水的用量呢！

先將熱水裝入臉盆， 再把頭髮浸到臉盆中打溼。

先把頭上的泡沫撥掉的話， 會比較方便沖頭。

27

洗澡時的
行動

12 負責任的消費與生產

∞

盡可能反覆利用空瓶等容器！

　你會把用完的洗髮精或潤髮乳等塑膠容器直接當成垃圾丟掉嗎？ 塑膠垃圾會破壞自然環境， 因此建議多使用補充包，以延續容器的使用時間並減少垃圾量。

　選擇商品的行為也有助於達成 SDGs 中的 目標 12（ 負責任的消費與生產）， 是人人都辦得到的行動之一。

洗澡時的
行動

7 可負擔的潔淨能源

在吹乾溼頭髮前，先用毛巾將頭髮擦乾！

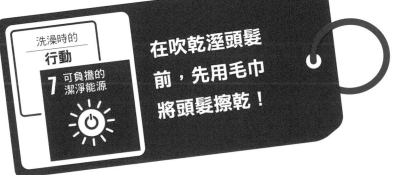

　吹風機是耗電量大的家電之一， 所以最好盡可能減少使用時間。 在使用吹風機之前， 先用毛巾擦乾頭髮的水滴， 就能大幅縮短使用時間。

　這樣的省電行為將有助於實踐 SDGs 的 目標 7（ 可負擔的潔淨能源）。

9 產業創新與基礎設施

身處「基礎設施」不足的生活是怎麼樣的感覺？

基礎建設影響著生活「品質」

所謂的「基礎建設」指的是柏油道路、自來水、電力、廁所、網路等生活所需的基礎設備，但世界上卻仍有許多人過著基礎建設不足的貧困生活。

交通基礎建設是產業發展的關鍵

基礎交通建設不僅支持著人們的日常生活，同時也支持了地方的產業。當農村有大量的農產品收成，但缺乏對外聯繫的道路，就無法將產品運輸出去，收成後的農產品也就無法轉換成收益。

無法運輸！

用心栽培出的木材沒辦法賣錢……

我們還能做更多！

● 試著想像一下道路、電力、自來水、瓦斯、網路等基礎建設如果變得無法使用，生活會變成如何？也試著跟家人討論看看這種情況下該怎麼辦才好。

SDGs 透過提示激發行動！

上學前的準備

我ㄨㄛˇ們ㄇㄣ每ㄇㄟˇ天ㄊㄧㄢ上ㄕㄤˋ學ㄒㄩㄝˊ前ㄑㄧㄢˊ，其ㄑㄧˊ實ㄕˊ有ㄧㄡˇ許ㄒㄩˇ多ㄉㄨㄛ可ㄎㄜˇ以ㄧˇ實ㄕˊ踐ㄐㄧㄢˋ SDGs 的ㄉㄜ行ㄒㄧㄥˊ為ㄨㄟˋ喔ㄛ。你ㄋㄧˇ我ㄨㄛˇ的ㄉㄜ一ㄧ個ㄍㄜˋ小ㄒㄧㄠˇ行ㄒㄧㄥˊ動ㄉㄨㄥˋ，將ㄐㄧㄤ是ㄕˋ改ㄍㄞˇ變ㄅㄧㄢˋ世ㄕˋ界ㄐㄧㄝˋ的ㄉㄜ第ㄉㄧˋ一ㄧ步ㄅㄨˋ！

上學時的 提示
出門前急急忙忙收拾書包。

上學時的 提示
脫下來的睡衣隨意亂丟。

上學時的 提示
快遲到來不及吃早餐。

上學時的
行動
4 優質教育

前一晚就把書包
收拾好！

早上出門上學前的時間很有限，這時才收拾書包很容易忘東忘西，甚至會影響上課時的專注度，進而影響情緒，就連和同學相處時也會感到不開心。

快樂的學校生活將有助於達成 SDGs 的目標 4（優質教育），因此最好養成睡前收拾好書包的習慣，隔天才能輕鬆愉快的上學去！

明天再收拾就好了～

忘記帶講義了！
沒有課本！！

✕ 早上才急忙收拾的話，容易忘記帶東西！

收拾好了

我會！

◯ 晚上先收拾好書包，隔天就會很輕鬆。

善用零碎時間！

在你喜歡的電視節目開演前或是吃晚飯前，會有段「零碎的時間」對吧，這時可以先檢查一下隔天的課表，準備好課本、文具和需要帶的器材，這麼一來就不會浪費時間喔。

上學時的
行動

8 尊嚴就業與經濟發展

自己的東西自己整理！

脫下來的睡衣沒有摺好、棉被掀開後就隨便放著，總是要爸媽來收拾善後……快點戒掉這種依賴的習慣吧！

摺睡衣或疊棉被是每個人都辦得到的，如果能自己處理這些事的話，不但能減少爸媽負擔，也能讓他們在工作時能更專心和有效率。若要實踐 SDGs 的目標 8（尊嚴就業與經濟發展），其實我們能做得到的事情有很多。

培養安排能力！

試著想一想上學前的早上應該依序做些什麼事，然後把它寫下來。提前思考做事順序以便讓事情順利進行，這樣的能力稱作「安排能力」。只要學會安排，就能有效善用時間。

5分鐘		5分鐘		20分鐘		5分鐘
起床	→	換衣服	→	洗臉	→	吃飯	→	刷牙

吃᠎早᠎餐᠎很᠎重᠎要᠎。 我᠎們᠎攝᠎取᠎食᠎物᠎後᠎， 隨᠎著᠎體᠎溫᠎上᠎升᠎， 手᠎腳᠎開᠎始᠎活᠎絡᠎， 體᠎內᠎的᠎代᠎謝᠎也᠎會᠎隨᠎之᠎提᠎升᠎， 養᠎分᠎會᠎同᠎時᠎傳᠎遞᠎至᠎大᠎腦᠎， 讓᠎我᠎們᠎的᠎大᠎腦᠎開᠎始᠎運᠎作᠎。

照᠎顧᠎好᠎自᠎己᠎的᠎身᠎體᠎和᠎健᠎康᠎將᠎有᠎助᠎於᠎達᠎成᠎ SDGs 的᠎目᠎標᠎ 3（良᠎好᠎健᠎康᠎和᠎福᠎祉᠎）喔᠎。

每天都要好好的
吃早餐！

腦袋也清醒過來！

身體開始運轉！

代謝也隨之提升！

不᠎要᠎輕᠎忽᠎排᠎便᠎的᠎習᠎慣᠎

只᠎要᠎定᠎時᠎攝᠎取᠎三᠎餐᠎， 就᠎能᠎讓᠎腸᠎胃᠎正᠎常᠎蠕᠎動᠎， 有᠎助᠎於᠎排᠎便᠎喔᠎。 排᠎便᠎後᠎會᠎覺᠎得᠎身᠎體᠎變᠎得᠎比᠎較᠎輕᠎盈᠎， 感᠎到᠎清᠎爽᠎舒᠎暢᠎！如᠎果᠎想᠎維᠎持᠎身᠎體᠎健᠎康᠎， 良᠎好᠎的᠎排᠎便᠎習᠎慣᠎也᠎很᠎重᠎要᠎。

廁所

6 潔淨水與衛生

乾淨的廁所
不是隨處都有

世界上有一半的人無法使用乾淨的廁所

在全世界約 80 多億的人口中，占總人口數大約一半的人所使用的是骯髒的廁所，其中有 1 億人甚至是在路邊或是草叢中上廁所，有不少孩子更是因為缺乏廁所而生病、死亡。

我們應該怎麼做才能讓乾淨的廁所普及到全世界呢？

掌握生死的廁所

飲用水遭到汙染
在外面上廁所，河水就會被汙染，將河水拿來當作飲用水喝的人，就會喝下汙染的水……

→

引發傳染疾病的水
被汙染的的水中含有大量的細菌，當中甚至還會增生致命的危險病原菌。

→

因為腹瀉而喪命的小孩增加
帶有病原菌的水若是進入到人體，尤其是小孩的身體，容易導致腹瀉，有不少孩子因此喪命。

我們還能做更多！

● 在現代化國家，家中具備沖水馬桶是理所當然的一件事，但沖水馬桶是從何時開始出現的？ 試著去請教爸媽或是其他長輩吧。

參考資料來源：聯合國兒童基金委員會

到朋友家拜訪時

SDGs 透過提示激發行動！

去朋友家玩時，其實有許多可以實踐 SDGs 的行為喔。你我的一個小行動，將是改變世界的第一步！

在朋友家時的
提示

朋友的妹妹看起來不太開心

在朋友家時的
提示

看到朋友的爸爸沒有打招呼

在朋友家時的
提示

嘲笑男生在讀少女漫畫

在家中玩耍時的
行動

10 減少不平等

玩遊戲時不分年齡！

和朋友玩時，有時也要兼顧到其他在場每個人的心情和感受。

想一想，如何和不同年齡與性別的人開心的玩耍，這將有助於實踐 SDGs 的 目標 10 （ 減少不平等 ） 喔。

好厲害……

我又輸了～

兼顧不同年齡層的孩子都能玩得開心的遊戲有很多，例如「報紙猜拳遊戲」。一開始，按照人數準備相同大小的報紙或廢紙，然後讓大家

站在報紙上猜拳，輸家必須把報紙摺半，並繼續站在報紙上猜拳，最後無法站在報紙上的人就是輸家！

適合所有人玩的遊戲有哪些？

如果想讓所有人在玩遊戲時不分年齡打成一片，可以考慮多元的遊戲方式。需要親自動手做的勞作或是大家都能樂在其中的撲克牌、桌遊等，都是所有年齡層的孩子都能同樂的遊戲喔。

勞作

漿糊

撲克牌

桌遊

去朋友家玩時，要主動和朋友的家人打招呼。打招呼除了是基本的禮貌之外，當面和朋友家人說話，也能讓對方多認識自己。

認識住在附近的人將有助於實踐 SDGs 的 **目標 11（永續城市與社區）**。想要多認識人的第一步就是打招呼。建立起人與人之間的關係，將有助於打造出安心生活居住的社區。

在家中玩耍時的

行動

11 永續城市與社區

跟朋友的家人打招呼！

歡迎你來！

你好！

朋友的爸媽也是我們居住環境中能依靠的大人喔。

你沒事吧？

跌倒了……

在外面發生問題時，或許能獲得他們的協助！

在朋友家中要有禮貌！

去別人家玩時要有禮貌，將鞋子擺整齊外，使用廁所也要和對方說一聲。能受到朋友家人的歡迎，我們也會覺得心情很好。

廁所

擺脫男生或女生就該如何的成見！

你讀讀看

超有趣的……

　雖然社會普遍的印象是男生讀少年漫畫、女生喜歡少女漫畫，但這樣的印象是不知不覺在社會中被塑造出來，而這種約定成俗的男女特質的概念就是「性別」。

　我們應該學會不去在意「性別」。興趣與性別無關，無論男或女，每個人都可以沉浸在有趣的事物中，改變自己的認知就是達成 SDGs 的 目標 5（性別平等）的第一步。

發現自己內心的「成見」！

有關「性別」的成見很多，其中之一就是顏色。你是否認為粉紅色是女生的顏色，藍色是男生的顏色呢？但是每個人喜歡的顏色、適合的顏色其實都不一樣，男生穿粉紅色的衣服也是完全沒問題的。

16 和平正義與有力的制度

遭受暴力對待的小孩

全世界遭受到暴力的孩子約有10億人

全世界 2 ～ 17 歲的小孩中，有大約 10 億人在一年當中曾遭受過某種形式的暴力，相當於每兩個人中就有一人曾受暴力對待。

暴力並無法解決問題，而且遭受到暴力的人在身心靈上可能會留下創傷，因此，不管發生什麼事，都要拒絕使用暴力。

有些大人認為教養小孩時必須動用暴力

在全世界的大人中，每10人就有 3 人認為管教孩子時必須使用暴力。儘管暴力對孩子不好，但抱持錯誤觀念的大人卻不少。

如果你的身邊有會施暴的大人，趕快找人商量，讓暴力行為消失。

除了動手打人被歸類為暴力外，透過言語持續罵人也是一種暴力。

我們還能做更多！

● 跟家人一起討論站在小孩子的立場，受到暴力對待會是怎麼樣的感覺。
● 發現朋友被暴力對待時，馬上跟家人商量。

參考資料來源：世界衛生組織、聯合國兒童基金委員會

作者簡介

關 正雄　監修

　　日本空中大學客座教授、社會設計研究所客座教授、損害保險日本興亞營運公司的推動永續部門資深顧問。畢業於東京大學法學院，致力於社會責任相關的國際標準制定，以及促成永續發展的教育啟發。自身除了鼓吹經濟團體投入參與SDGs以外，同時也力求提升一般民眾、中央政府以及地方政府等對於SDGs概念的理解，在推動整體社會的參與方面也不遺餘力。主要的著作有《SDGs經營時代所需的社會企業責任》（第一法規出版）、《SDGs時代的合夥關係》（學文社出版）等。

編撰者簡介

WILL兒童智育研究所

　　專營幼兒、兒童的智育教材、書籍的策畫開發及編撰。自2002年開始參與阿富汗難民的教育支援活動，並於2011年日本311大地震後持續支援受災幼稚園。

　　主要的編撰作品有《垃圾上哪去了 垃圾處理與利用》系列書籍（金星社出版）、《充分利用文具》系列書籍、《在科學及數學驗證中發現傳說故事的真相》系列書籍（福祿貝爾館出版）等。

（●●知識繪本館）

生活中隨手就能達成的目標！

SDGs就在你身邊① 家庭實踐篇

監修｜關 正雄　編撰｜WILL 兒童智育研究所　譯者｜李佳霖
審訂｜何昕家（臺中科技大學通識教育中心副教授）
責任編輯｜詹嬿馨　特約編輯｜高凌華
美術設計｜李潔　行銷企劃｜王予農

天下雜誌群創辦人｜殷允芃
董事長兼執行長｜何琦瑜
媒體暨產品事業群
總經理｜游玉雪　副總經理｜林彥傑
總編輯｜林欣靜
版權主任｜何晨瑋、黃微真

出版者｜親子天下股份有限公司
地址｜台北市 104 建國北路一段 96 號 4 樓
電話｜（02）2509-2800　傳真｜（02）2509-2462
網址｜www.parenting.com.tw
讀者服務專線｜（02）2662-0332　週一～週五：09:00~17:30
傳真｜（02）2662-6048　客服信箱｜bill@cw.com.tw
法律顧問｜台英國際商務法律事務所 ‧ 羅明通律師
製版印刷｜中原造像股份有限公司
總經銷｜大和圖書有限公司　電話｜（02）8990-2588

出版日期｜2024 年 2 月第一版第一次印行
定價｜360 元　書號｜BKKKC257P
ISBN｜978-626-305-656-5（精裝）

訂購服務
親子天下 Shopping｜shopping.parenting.com.tw
海外 ‧ 大量訂購｜parenting@service.cw.com.tw
書香花園｜台北市建國北路二段 6 巷 11 號　電話｜（02）2506-1635
劃撥帳號｜50331356　親子天下股份有限公司

國家圖書館出版品預行編目資料

生活中隨手就能達成的目標！SDGs 就在你身邊
①家庭實踐篇/關 正雄監修；李佳霖譯. -- 第一版.
-- 臺北市：親子天下股份有限公司, 2024.02, 40 面；
21×25.7 公分. -- (知識繪本館)
ISBN 978-626-305-656-5（精裝）

1.CST: 永續發展 2.CST: 環境保護 3.CST: 環境教育

445.99　　　　　　　　　　　　　112020621

MIJIKA DE TORIKUMU SDGs 1 IE DE DEKIRU SDGs
Supervised by SEKI Masao
Compiled by WILL Child Education Institute
Designed by Yoshi-des.(YOSHIMURA Ryou, ISHII Shiho)
Illustrated by CHO-CHAN SAITO Azumi
Edited by WILL(NISHINO Izumi, KATAOKA Hiroko)
Copyright© Froebel-kan 2022
First Published in Japan in 2022 by Froebel-kan Co.,
Ltd.
Complex Chinese language rights arranged with
Froebel-kan Co., Ltd.,Tokyo, through Future View
Technology Ltd.
All rights reserved.

立即購買 >

生活中隨手就能達成的目標！

SDGs
就在你身邊 系列

監修
關 正雄

編撰
WILL
兒童智育研究所

1 家庭實踐篇

2 社區實踐篇

3 學校實踐篇

察覺
提示

>>>

付諸
行動

SDGs 的

消除貧窮

終結全世界的貧窮問題。

消除飢餓

讓受到飢餓所苦的人獲得糧食，並改善他們的營養狀況。

良好健康和福祉

所有年齡層的人都能過上健康且幸福的生活。

可負擔的潔淨能源

全世界所有人都能使用環保能源。

尊嚴就業
與經濟發展

所有人都能從事具有成就感的工作，藉此推動經濟成長。

產業創新與
基礎設施

在全界建設穩固的基礎設施，促進產業發展。

氣候行動

防止地球氣溫上升，消除氣溫上升所帶來的負面影響。

水下生命

保育海洋生態，讓海洋資源能夠存續。

陸域生命

保育陸域生態，讓豐富的大自然恢復生命力。